낙서를 통해
당신이 무엇을 얻을 수 있을지 모르겠습니다.
그럼에도 이 책을 드려요.

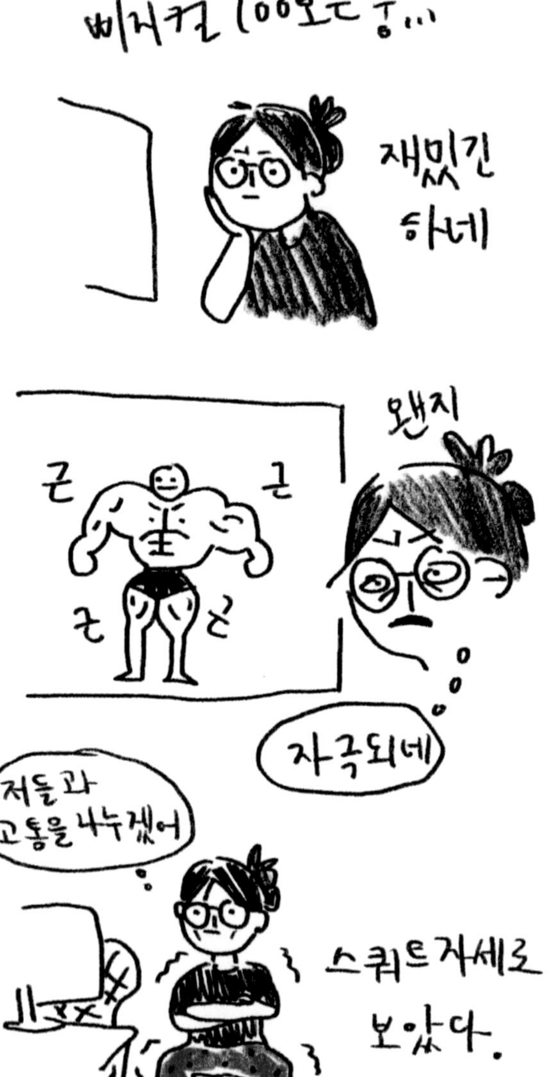
피지컬 100보는중...
재밌긴 하네
왠지
끈 끈 끈 끈
자극되네
저들과 고통을 나누겠어
스쿼트자세로 보았다.

베지컬을 몰아보느라
당최 툰을 못그렸다.

그래서 이렇게 낙서일기라도
그리는 중인거다.

무언갈 꾸준히 한다는게 얼마나
힘든가!

그러나 그림그리는게 너무 매우 완전
재밌어서 계속할 수 있겠다는
생각이 들었다.

우와 오늘 토요일이다.

현 15시

아싸베이요 ∼
내 세상 ∼

♪

...!!

껙. 내 어깨랑 허리

앞으로 절대
엎드리지
않겠어!

- 자주 반복하는 다짐 -

<스토리용 낱놈 만화>

《솔직히 스토리용
만화그리는게
더 재밌어 왤까》

난 항상 날날이를
'낱놈' 이라부른다.

흥

이놈에 거식은
나를 그냥 딱 친구
정도로만
생각 하는것같다
것도 '귀찮은' 친구. ㅋ

나를 한번이라도 의지 해본적 조차
없을것 같아.

아
뭐
까샤

이
낱놈!

<스토리용 펄애기 만화>

반대로 울 펄펄은
나를 참으로 좋아한다 ᴗ

(과장된
그림입니다)

꼬옥

애기때부터 써가 낱낱의 괴롭힘
으로부터 펄을 보호해주었다보니,
내게 아무래도 애착이 있는듯.

에구~

울액이

이렇게...
의지한다는
눈망울로
나를 등시하며
골골거림.

그러나 요즘은 하도 떨어져있다보니
얄짤이 없어...

펄...!
가자미..!!

빵

엄마의 공간에 와있다.

난 소파에서
잔다.

추운 겨울에 엄마휴깅이 꼭 챙겨주는

파쉬 보온 물주머니

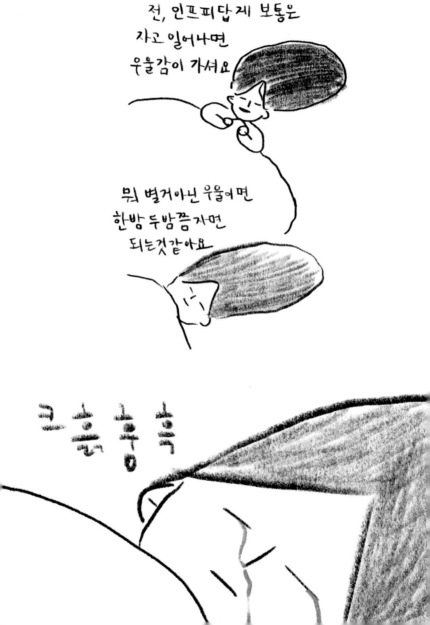

금요일 밤이다...
늦은 밤... 1시 넘었네.
아, 토요일이구나.

가만히
누워있으니까
평온하다.

나이 먹어서그런가?
좀 더 멍을 쉽게
때리게되네...

멍때리면 시간이 멈추는
초능력이 있는것도
좋을것같아...

멍

멍

요즘 !!!
진격의거인을
보고있다....

떵.. 특유의
그럼체 별로 안
좋아해서
일본애니 잘
안보는편.

가끔 유튭 숏츠에서 진격거
세계관 설명하는걸 몇번 봤는데,
이런 생각은 도대체 으떻게 한걸가
궁금해서 참지 못하고 정주행 시작함

병사

그와아

사람을 꿀떡
꿀떡 삼킴

옷 안입음.

뭐 이런거 매달고
날아댕기면서 거인 죽임

유형남자

흥분

그래서! 어떻게
되는데! 빨리다음!

에런 다시
살 건거야?!안돼!

오랜만에 좀 고어한 애니
봐서 그런지 살짝 악몽꿈.
하.. 그때도 보긴봐야되는데

으으

직장인 의 한계.... 툰그릴수있는
시간이 밤&새벽 밖에 읍다....

거의 8시 되어
집 와서 저녁먹고
바로그려도

석식

눈식 간데
꼭두새벽됨

급 분노

회사 다니면서
이거 꾸준히하는
사람들은 뭐야

인간이야?
어?

일주일에 두번을커는건
무리데스...

그러면서
내 표정과
눈빛은 이렇게
공허 해진다...
그리고 왠지 늙어짐.

뭔가
초점이 없음.
맹쿵 함.

그러다 갑자기
술술풀리면서
도파민 인거?
엔돌핀인거?
막풀고잠 다깸.
뭐지;

어!그래
이거야
어!어

그래그래

18

주어진 현재에 나름 최선을다해 살고있지만 ···

미래에 대한 불안감은 느닷없이 올라온다.

난 앞으로 어떤 삶을. 살아갈까

어쩔땐 스스로가 참 괜찮은 사람같고

진짜 괜히 붙인 말이아니고

내 인생 당최 어떻게 굴러가는지

어쩔땐 참 기지부진하고 그냥 그런 사람 같다.

모르겠어

꼬마시절의 내가 보기에 지금의 내가 꽤나 맘에드는 어른이길 바랄 뿐

흐음

사실 토요일에 혼자
회사에서 일하고왔다
휴가
대체근무 때문.

나혼자
회사에서있는거
좋아함

일요일은
느으으읏게
일어나고
푸우욱 쉬어
야지

'내가 이렇게 쉬고있어도되나?'
'공부나 작업을 해야하는거 아냐?'
하고 불안이 올라올때가 있는데

나도 존워
보러갈까? …

이번 주일은
그런 생각이 나지않길

나 자신에게! 관대하자!

모두들 굿밤

20

오늘 미션은 '요리하기'
였다...
하.. 간신히 했다.

누워있다가 맨날 배달음식만
먹게 되니.. 이래선 안될것같아
다시 '요리루틴'을 형성해야겠다고
다짐...은 아니고 생각함.

← 요리 맞음

요리하기싫음은 자취러
를 위한 '레시피따위없는
정체불명요리하기'
컨텐츠를 만들면 좀 적극적으로
요리하게 되려나?

삶이 다시 무료해짐을
느끼기 직전이라
얼른 클래식 기타
수업을 끊었다.

후 하

내일 퇴근하곤
당구 도 다시 배우러
가야지..
이제 그냥 동네
당구 치는 아저씨들한테
배울라고. 그게 낫겠어.

삐
꾸덕!

안정감이 좀 생기니
이것저것 내가 골라서
도전할수있는게
좋다.

나 떠나!

좀 좋아

진짜야

요즘은 회사 써 드라마컨텐츠(병맛)
레퍼런스로 이것저것 보는중인데

ㅎㅎㅎ   ㅎㅎㅎ

가장 열심히 보고있는게 장비쭈.
(그다음은 빵빵이)

ㅎ..원래도
재밌는술은
알고있었지만

오랜만에보니깐
더 웃겨 ㅠㅠ

으 진짜
골때린다

나..가망이
없어잉

이세상엔 재밌고
웃기는 애가너무많아

인스타툰도 그렇고말야

(왜인지 슬프다)

나도.. 유잼인간 이고파

24

근로자의 날이라
집에 박혀서
많이 쉬었다.

논구...
넷플...
기타연습...
만화찔끔...
공부쬐끔...
나름 쉰거다.

24시간이 모자라

요즘은 내게 고민이
많은 시기이자
가장 복잡한 시기다.

만화 회사 운동
공부 음악
그림
외주
여행

하는게 많다. 한마디로.

그래서
조금 솎아낼까
한다.

뭐하나에
진득이 집중을
못하고 이런저런...
너무 많은걸 하고있는것 만같아...

근데 이게 나랑 맞는 방식인것도 맞구.

?결론은 없어요
쏴리.

오늘 날씨
참 좋다

약간 따뜻한
봉내음
근데 또 시원한

그리고
금요일이야

퇴근 하고
이것저것
조금씩 하고나면
금방 이시간이
된다.

열두시가
넘었네

졸려서 멍한데
아직 해야할건
많이 남아 있고...

잘까그냥?
좀 더 할까?

늦게 자면
안되는건
알지만

내일을 하는
데만도 꽤
많은 시간이
필요한걸...

어렵다
어뤄워

어렵다
어려워

28

목욜 내 생일에 금욜 회식에..
몇달 쌓인 수면부족+술기운을 수면제삼아

집나게 잤다.
(솔직히 더자고
싶음)

허나,
일요일 만큼은
활동해야지!
하고 일어서서
너무도 감사한
생선택배들을
정리하였다.

에구야

고맙읍니다...

꺄이양...

축 하메시지
만도 밤으로
감사한디...

나같은 상아싸를
챙겨주는 따스한
분들 ....
복 받으십쇼.

인제 커피만
사와서 진짜로
진짜로

만화 그리겠어요.
아자 아자

짐 대충 다 쌌다

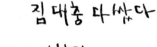

겨우 4일치라
양은 적지만
또 큰 캐리어 가져감

다된건가

곰곰

뭔가 많이 쓸어올것
같거던...

오늘은 머리도 백만년만에 잘렀다.

숱도
내드려
요?

챱챱...

예예

드디어 리얼
거지 존 탈출

렌즈도
다시 한달치
구매했다.

근데 집와서 보니까 서랍에 아직
꽤 남아있었다.

나고야에서의
첫 날 마감.

누워좋다

오늘로서
출장의 의미는
끝났다.

이제
자유!

사실 출장이라해 봤자 내가 한일은

예전에
애니메이션

만들었던
관람하기였다.

한국에서의
상영회와
다른점은

일본인들은
확실히
애니에대해

훨씬 진심인 태도로 대한다는 것

슬픈 내용 나오는 중

훌쩍-

:

훌쩍-

쿵-

설마 우는건가

(우는게 맞았다)

너무 신기했던게, 한국 상영회에선 그냥 '그렇구나..' 하고 보고마는느낌 이였거든.

(진심이신분)

애니 정말 잘봤습니다

아

추측한대명.

아리가또 고자이마스!

뭔가 쑥쓰러우면서 존중받는 기분. 좋았다.

편의점서 과자랑 물을 사는데

현금으로 사봐야징 ○○○

여기에 넣어주세요

지잉-

② ↓↓

1000엔

지폐를 기계안에 집어넣으면 거스름돈이 나오는 시스템였당.

(나름 비접촉 시스템)

뭔가 신기한데 할줄아는말이 거의 없어

스고이!

라고 했다.

히히히 스고이~

캐셔분이 웃었다.

어엄청 디테일하게 곤츙을 살려놨다.

ex)

제일 인기 많은 스팟은 당연히 가오나시.....

또 뇨랑 회사분들이랑 같이 찍기도하고....

사실 나라해봤자 지브리에서
제대로 본 만화는 10편 내외이고,
퐁포코 어쩌구 언덕이나 바람이분다?
인가 그런건 안봤다. 언젠간볼거지만.

너무 메이저 빼고
기떠 안하고 본것중에 생각보다 엄청
좋았던 만화는,

① 추억은 방울방울

② 추억의 마니

③ 가구야 공주..

인데 얘네 굿즈나 포토스팟은
확실히 적은편이긴했다.

솔직히 지브리 만화 한 편이라도
제대로 본 사람은 지브리파크가 재미
없을 수가 없다.

당장 내 바구니로

와르르

내 의사와는 상관없이
굿즈 쓸어담을 수 밖에 없음.

하..진짜. 그리고 촬영 안되는
곳도 많은데 거기가 진 또배기예요...
다 만지고 체험할 수 있게 해주구

지브리
세 편 이상 봤다?

반드시
가야되는거임.

너무 맘에듦

전 하울의 움직이는 성
갱얼쥐'힌테려옴

멍멍

오늘로 나고야 여행을 마쳤다.

진짜 피곤...

아무튼 오늘은 후배님과 둘이
완-전 알차게 빠삭하게
나고야를 돌아다녔다.

날씨가 축여줬다.
바람이 후루루 불면서도
햇빛도 쨍쨍해 비율이 딱좋았다.
피크닉용 날씨.

전에 팔로와분들께
나고야에서 갈만한 곳을 추천
받았으나 대부분 하루만에 가기엔 멀어
결국 가까운 곳 위주로 다녔는데

① 오전 - 오스상점가

콘파루에서 미소카츠 샌드위치 먹음.

나고야는 이 샌드위치
조식문화가
있다고 함.

올 맛있다!

냠냠
냠냠

너도나도 홀로,
혹은 둘셋이와서
찬찬히 먹고나간다.

그리고 상점가에서 돌아다님

41

② 나고야성 고고
날씨 미쳤고 성은 진짜 예쁨.
나도 어른이 되었나 이런곳
와서 힐링 하니까 그저 좋더라.

참 예쁘게도
지었다
oo

너무....
졸려서 표현을
이정도 밖에 못함..

③ 시레미처거리. 나같은 갬성꾼이면
정말 추천한다.
시레거리라고 하는데 옛날느낌이
그대로 남아있어 정말 갬성가득함.

아휴

일본은 왜이렇게
다 아기자기
귀엽게
만드냐 —

안찍을
수가업다

④ 돈키호테, 편의점 샤핑.
일잘알 후배님이 추천하는템 나도
따라샀다.

UFO
야께소바라멘

커리
커리
멘

파스

봉지형
곤약젤리

자지우유푸딩

* 이건내가 먹고
넘 맛있어서 3개챙김

* 컵형태는
안된다고함

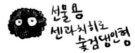

선물용
센라쿠치하로
숯검댕인형

⑤ 야바톤 가서 철판 아카미소카츠 먹음.

미소된장국

녹차물

밥

등심 안심 다 맛있고 양배추 자작하게 깔아준다,

⑥ 서로 가진 남은 지폐동전 털어 호텔옆에서 2차 교자만두랑 맥주. 여기서 좀 놀란게 1인당 418엔씩 자릿세를 받더라...

맛있긴 진-짜 맛있는데, 너무하네요

맛있으니까 봐주는거다...

아무턴— 너-무좋군요

다먹고 나옴

여기저기 거나다니며
미라이타워랑 관람차 봄.
(주부전력)

건물 위에
놓여있던데...

역시 어디선가
본 줄 알았어

나고야 올만한
동네인것같다.
지브리파크 포함
3~4일 딱이야.

45

47

인스타툰을 하다보니 늘 피드의
전체적인 느낌을 신경쓰게 된다.

아!

왠케 여백이 없어어!!

디자이너특: 여백집착

으아악 그리고
난 진짜
뭔가 통일성있게
하는걸 너무 못참겠어

꽝 꽝

후... 나름 제목쓰고 썸네일을 통일해 본건데 (이것도 각잡고 통일한것도 아니지만) .... 벌써 질린다...

아 진짜 여백좀 더 줘야지

다행인건 내가 완벽주의를 놓은지 N년차라는거다.

다시 자유롭게 바꿈되지 ㅎ

근데 또 제목썸네일로 하는게 확실히 '대..중..?'의 눈에 더 빨리 들어가는건 맞어서 고민이다.

지! 끈!

그건 그렇고
난 뮤지컬을
잘 보고 돌아왔다

뮤지컬 왕덕후인
대학동기 동생
뮤림과 혜화가서
〈호프(HOPE)〉
봤는데

진짜
연기도 잘하고
노래도 잘하는라

캬-

여인의 일생에
대한 슬픈
이야기.
깨달음도 줌.

50

근데 어제 4시 넘어 자서 자꼬만
하품이 나왔고 뮤림이 계속 목격했다.

호프 진짜로다가 추천합니다.

입문부터
명작으로
시작한
느낌

닭갈비에 밥까지 볶아
주린배를 채우고

수도원 이라는 희한한 술집가서
약간에..어..시력 잃을때쯤 나옴

ㅋㅋㅋㅋㅋ

더듬적

뮤림!
거기있어?

더듬적

지이인짜 깜깜수준으로 인테리어 해놈.
메뉴도 폰 후레쉬로 비춰서 봄.

뮤림
압생트로얄

술은
Good

당최
플럼 어쩌고

마로니에공원을 거닐며 집에를 갈까
또 카페나 갈까하다가

헤어스탈
약간수정

버스킹
하나봐여!
우리보고
갈래요?

버스킹의 가장 좋은점은 역시 나이와 성별 인종국가등이 아무 상관 없다는것같다.

제일 적극적인 동네 아저씨

신나는 곡으로 해줘!

앞줄에 앉아서 음악듣는 꼬맹소녀

진겨하게 듣는 외국인 여성들

마이크 주니까 얼떨떨해하다 엄청 큰소리로 부르는 청년

노을만 붉게 타는데~

놀줄 아는 발랄한 청년 커플

당구를 치다가 헐레벌떡 지하철역으로
달려갔다.

호다닥

아직 도착
안했나?

엄마큐킴이 오랜만에
서울에 왔기때문.

엘리베이터를
찾는중인가

전화해
봐야것다

-딸!

엄만 참 딸을 사랑한다.
그리고 표현에 아낌없다.

엄만 있는 그대로의 사랑사랑을
자췌방 냉장고 채워주듯이
내 맘에 꾸겨넣어 준다.

나는 내가 자식을 놓는다해도
엄마만큼 순수하게 표현해줄
자신이 없어.

스티브잡스나 주커버그나
저구처럼 심플하게 살려고
무지티를 색별로 4장 한방에샀다

바지도
사각사각
한거로 두벌
셋트겟

좋다
좋와

어우

집에서 입은 옷빼고
다 늘어난 티는
정리해야겠다.

집줄이는거도
일이다 일.

여행툰 사실 ,, 이렇게 제대로
오래 이어갈 생각으로
시작 한건 아니였는데

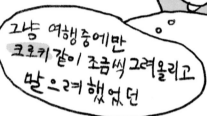

그냥 여행중에만
크로키같이 조금씩 그려올리고
말으려 했었던

어쩌다보니까 여행툰을
많은 분들이 재미있게 보아주셨고

어엇 ..!
탐색 탭에
마니뜨나봣

헤
에

나 또한 자연스레
성장해서 혼자 많은걸 배웠다.

어떤거를
배웠냐면

곰
곰
스

1. 꾸준함 과 내려놓음

> 적어도 1주일에 1화씩

> 끝까지 기록해보고파

〈새벽〉

> 음 그얘긴 꼭써야할것 같았는데,

> 칸이 모질라서 포기했더니 오히려 주제가 심플해지고 좋구나

2. 다양한 표현과 연출

> 여행이란 주제가 특히 표현력 기르기에 아주 좋아 '''

내가 지루하기 싫어서 더 그럼 '''

3. 이야기를 어떤식으로 끌어 나갈지에 대한 연구

그니까...음, 온소리냐면,

똑 같은 주제여도

감성코드, 유머코드,

공감코드, 정보코드 등으로

다양하게 얘기를 풀어 낼수있는데

최대한
다채로운 코드로
여행기를
만들어나가고싶었거든.

아무래도 하나의 코드만을
좋아하는 사람들은
헷갈리거나 마음에안들수도
있겠지...

4. 멀리보는 눈 키우기

멀리... 보는 중...

.....

보인다 보여
내 미래

ㅋㅋ 장난이고..
이건 여행툰이
아니고도 모든
당최툰에 해당하는
것인데.

그냥 당최 어찌
흘러가는지 모르겠는
나의 긴 인생.
당최툰을 쭈욱
동반자같이 생각하고 다짐했다.
그래서 일부러 셋팅으로 아무얘기나
마구 던져왔고

즐 흥 인 간

찐으로 나의 그림과 이야기를
좋아해주시는분들만 자연스레
남도록 계정이 만들어져가고
있는것같다...

제가감히

행복해도
되겠나이까?

더 재미진
만화로 보답 하겠어.

결론이라면 ...

당최툰으로 뭘
어떻게 하겠다는
목표같은건
전혀 없구 그냥

이름 그대로~
당최 모를 내인쎵
일기장겸 연습장이라 ♀
생각하련다

뭐 대부분 작가님들
다 그러시겠지만...

오늘은 대학 동동(동기동생)

치리와
안났다.

치리!

온니!

나고야에서 겟한 쭈구리 농담곰을
선물했더니
너무신났다.

기약~!
언니!!

＊농담곰 치이카와 꼉팬

신사 핫플카페가서
커피랑 티라미수를 먹고

커피랑
맛있음끼

65

노란 양꼬치에서 양꼬치앤하얼빈 때리고,,,,

넘넘넘

유명한곳이고
찐맛집임

옆 테이블이 너무 시끄러워서
동네 맥주집 으로 피신했다.

히히

여전히
신남

낭낭

..녀석

둘다 여행을
좋아해서 그데마로
한참 떠들다가

9시. 적절한 시간 파하였다.

가을쯤 보아요!

응응

드려가

집이 가까워
느긋이 걸어서
집에왔고

나만 가까운거같아
좀 미안한데

쿠르르릉

솨

아

쉬고있는데

비가오네!
타이밍 쩔었다.

67

오랜만에
고향에
와있다.
대전.

여긴 정말
평안해

아,야경좀
보자

대전은
고향이면서도 고향이
아니다.

난 사실
공주가 고향
으로돼있다.
그래서

주민번호뒷자리 지역숫자가
가족중 나혼자만 다르다.

느릿느릿
충청충청

아 시골출신
이라네

그래도 공주에서 2~3년밖에 안살고 나와
대전에서 오랜세월 살았으니까

대전이 고향이나 다름없다.

하철역

○○ 야경좋다.

고향이란 존재는 참 신기해.

복잡스런 서울에서
복잡한 생각들에 머리가
엉켜있다가도 여기만 오면
스르륵 모든생각 스위치가 꺼진다.

서울에선 건넛건물 벽을 보고 지낸다.
그리고1층이라
창문에 창살이있다.

안전해서
좋긴한데
좀 답답하네

이사온지도
벌써 1년이
훌쩍넘었어

재계약을
해야할까

어쨌건
간에.

고향에와서
닥트인 야경을
보니
맘이 뻥——
뚫린다.

오늘은 회사책상을 재정비했다.

오늘이 날이다

쌓인 종이들은 정리하고

회의 메모용 노트 한 권 남겼다.

이제서야 요래 생긴 사무실 책상용 서랍을 주문했다.

꼬마난것

2단

안경집

필통

명함

펜이나 여러도구들을

차곡차곡 보관하려고 ...

오늘은 두세시가 되어서야 잠에서
깨어났고

우우웅

한 다섯시쯤
되어 힘내서
일어났다.

으아앙

비그치니까
선선하네

꾀죄죄하게
하나스까거가서
바닐라딜라이트랑
에그마요샌드위치를
사갖고왔다.

고장난줄만 알았던 모니터가
멀쩡함을 확인하고
돈이 굳어 안도했고

어! 뭐야,
잘 나오네

늦은 첫끼를
먹으며
공부하다가

훌꺽
훌꺽

온글잎이 이제
문을 닫는다길래

서울러 폰트
제작용 글씨를
썼고

비싸네..

엄마랑의 패키지여행
도 좀더 알아봤다.

다섯시에 일어난것치곤
꽤 알찼는걸?

뿌듯

쿠팡에서 화장실 청소도구도
새로 샀으니깐

마지막! 당회를만
그러면 돼

눈 무슨
이제 졸려졌어

아오

일몰 일기 끝...

최근 퇴사한 땅유와 오랜만에 만나
저녁을 먹고 카페가서 작업하기로했다

닭한마리

아차산역에
맛있는 닭한마리
집이 있었다.

아이고
늙어서
귀송합니다

어서
오라고
최작가

짠   짠

막걸리오마시고

야무지게
닭죽까지
해치움

다먹고 좀걸어서 팡유 자취방도
잠시 들러..
바닥은 보지말구
허공만 볼게
온갖 영양제를 받아 먹었다.
우리도 이제 챙겨 먹어야 해
야..... 알이 왜이렇게 커?
요즘 배우고있는 얼후라는 악기 연주도 듣고...
어때
꽤 소리 잘 냄
올 잘하네!
가즈아 24시 카페로

한참을 쿨쿨 자다가 오후 두세시쯤
일어났다.

교회
목사님과 사모님을
만나기로 했기때문이다.

하이디라오를
가기로했는데

시간이
벌써

＊하이디라오=훠궈집

웨이팅이 장난아니라

빨리가서
대기표를
뽑아놔야해서.

벌써
뭔가 머쓱 하군...

교회는 요즘
너무 못나갔거..
허허...

근데 목사님도
일찍 오신다 함.

엇.

나보다 빨리
도착하시겠네..

79

*여름이라 너무 덥다고 교회 안갔었음 흑흑

그렇게 장장 두시간을 사는얘기..
미래비전.. 고민상담등 하며 보냈고..

드디어 훠궈를 먹었다!
토마토탕
보글…
삼선탕
보글..
아— 맛있겠다.
나 하이디라오 와보고 싶었거든
토마토탕이 궁금했지모야
아 그래?
토마토탕 맛이상할줄 알았는데
맛있죠
응
우리 이제 면도 시켜볼까?

공항버스를 타고 인천공항으로 가는길.

길이
생각보다
더막혔다.

여덟시까거 오랬는데
설마 더늦게도착하는거
아녀..?

엄마랑 편하게
가겠다고
버스탄건데...
지하철 탈걸

너무
굼벵이 처럼
기어가자
않아..!

엄마
버스가
너우느려ㅠ

여덟시까진
도착할거야
걱정마

그러곤딱
여덟시에도착함

환전하고
유심찾어야햇

비는갑자거 왜오는거냐...

84

다행히 제대 가이드님과 일행도
잘 만났고 수신기도 받았다

오른쪽
버튼을 누르면
켜집니다.

접수완

환전도 은행문 닫기전에 잘 했고..

캐리어 부치고..

기내짐검사도
하고..

이제 곧 비행기 탈 일만 남음!

11시간
넘게 갑니다

후아

사우디 경유!

85

우린 사우디아항공편을 타고
사우디아라비아를 정유한다.

가이드님이
옆에 타심

아주 오랜만에
비행기를 탄 엄마는
생각보다 즐거워했다

딸 저것봐

(밤 뱅기)

승무원들 ... 왕 큰눈에 아랍연다를 뚜렷한 이목구비.
특히 여직원들은 뭘가 쓰고있다.

남직원은
평범

똑똑하고 예뻐

받으시지요

?

파우치   안대   기내 양말   마스크   오졸다

사우디 특유 디자인을 담은 기내템 것.

가이드님과 이런저런 이야기도 하고....

우리가 지금가는 제다 공항이 메카예요

잘 들으려고 귀에 손모아 듣는중

와 신기해요

내가 다음엔 메카에 가다니!

응응응

그러게 말야

그리고 그 감정을 기록중....

승무원한테 이거 당신 그런거라고 보여줘요! (가이드님)

응

일회용품 이거 너무 아까와. 갖고가서 오브제로 써야겠는데..

앗 하지만 너무 대충 그려서 민망 한걸요..

아그래요?

딸의 말을 해석해드릴게요 원래는 얘가 어어 엄청잘그리거든요? 근데 어건 잔게 암것두어나 뭐이런

플리즈

엥

큐킴 스탑

?뭐

제다공항 분위기는 확실히 아랍아랍 하였다..

완벽하게
브루카를
입은여성

٭OO٭
꼬부랑글씨

경량패딩 입고
위엔 전통복식을쓴
남성

보통
이정도로만
두름

오페라백
가방으로
포인트 줌

터번쓴
하리버지

비교적 자유로운
복장의 아이들

난 저렇게 천 하나
딱입은 패션이 너무좋아

하얗게 입었어
아름답지않니

엄만 아랍
사람들하고 좀
비슷해서

입으면 잘어울려

규킴은 과거에 OO스탄국에 다녀온 경험이 있는데
거기서도 현지인같다는 소릴 들었단다,

89

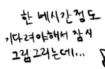

드디어 마드리드로 가는 2차비행시작.

소근 소근

왠지건지 나는 백발님

아까 내가 멋지다고 한 아저씨 네~

그러 네요

°° 피곤 하신가봐

곧 쿨쿨 잠드신 멋뿜아저씨

기내 °→담요

기록욕구를 참지못하고 낙서하고있는중에..

석 석

저... 익스큐즈 미?

바닥에 떨궈놓은 담요를 집어드시는 것이다...

진지

혹쉬...이담요 쓰세요?

아.. 노노 별루 안추움

헉! 그렇다면 캔아이유즈잇?

슈얼!

진심 너무 고마워 하심..

쓰시죠

땡큐쏘마취!!

따뜻 하다 °°·

누가봐도 아늑하고 포근해 보이게 다시 곤히 잠드셨다.

포옥...

이틀만에 펜을 잡는다. 어제는 정말 피곤했다.

마드리드에 오자마자 버스를 타고 프라도미술관에 가서 가이드님의 설명을 듣고

자 이제 시녀들'입니다 벨라스케스의 작품이죠

거의 뭐 30분만에 나왔다.

?

?

물론 가이드님은 설명을 엄청나게 잘 해줬지만 전체적인 시간을 조율하느라 후딱 5점 정도 작품만 보고 들음.

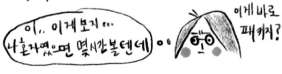

이.. 이게 보거... 나 혼자였으면 몇시간 볼텐데

이게 바로 패키지?

그러고선 손 광장 가서 좀 돌아다니고
한식 먹고 그랬다.

버스멀미
때문에
살려고 먹었다.

비행을 거의 20시간 하고
바로 돌아다니다니...
나와 엄마뿐
아니라 모든 일행들이
힘들어했다.

호텔 도라마자
씻고 뻗음...

응?

삐비비빅-

6시 넘음.

살려줘

조식 먹으러
가야 함.

어쩌저쩌 엄마와 잘 버스에 올라타
톨레도 로 향했다.

비가
좀왔음.

가이드님 말에 따르면 스페인은 고도가
높아 이미 산에 올라와 있는것과 마찬가지.
저멀리 산이 거의 안보인다.

그리고 올리브나무를 엄청많이 키운다.

지금껏
가이드인줄 알았는데
인솔자
↓

찐가이드
계~속 뭔가
설명해줌 →

여기 날씨요정 있어요?

오!

당당 저요!

인솔자님은 정말 날씨요정이 맞았다.
우리가 버스에 타있을때만 비가왔다.

날씨요정
맞으시네!

톨레도는 옛 수도라고 함..
확실히 멋졌다.

류킴의
왕큰 모자

우린 그곳에서 자유시간을 잠시 가졌고...

옴망 나 스타벅스
에서 커피 좀
마셔 잠깐 쉬다가
돌아다니자

그래
그래

어으~
살 것다.

스벅에서 아메리카노
마시며 잘 쉬었고

슬슬나와
톨레도 골목길을
약 5미터 걸었으며

97

톨레도가 칼 잘만들기로 유명하대서
칼 가게를 구경하기
시작했는데

어머
멋지다...

들어가서
구경해보자!

그래 용

멈칫~

당최.

?

엄마...

핸드폰이 사라졌어.

일이 터지고 말았다.

「......」 뭐?
그게 무슨 말이야

나가서 찾아볼게

우린 황급히 칼 가게를 빠져나와
길바닥을 살피고

내 주머니에서 떨어졌나?

어디!

다시 스벅으로 돌아가 앉았던 자리를 보고
직원에게도 물어 봄

(가방확인중)

여기냐?

NO

당연히
없다고함

99

누가 훔쳐간게 맞는것 같아..

주머니안에서 살짝 나와있어서 가져갔나봐

엄마와 나의 추측은 칼을 밖에서 구경할때

그램

멋있다— 안에들어가서 구경하자

누군가가 채간것같다는 것이었다.

엄마 그새 폰 잃어버림

정지좀...해주라

?!뭐?

그래서 나는 일른 아빠와 언니에게 엄마폰 정지를 부탁했고 인솔자님께도 얘기했어.

안타깝

아이구 제가 나중에 보험서류 드릴게요

엄마는 조금 황망해보였 지만,

폰이없으니 여행에 더 집중하며 다닐수 있었다.

일행분

혹시 괜찮으세요?

네?

폰 잃어버려서..

네!

오히려 좋아요!

정말요?

쏘쿨...

〈교훈〉
유럽에서
소매치기를
조심하자!

호텔은 대체로 좋은 편이다.

...4성급
정도

졸려
빨리씻고
자야지

화장실 변기 앞에 뭔가 희한한게
또 있길래

변기

변기보다도
낮게설치된
세면대
같은것

발 씻는건가?

했다.

수건도 떨2었음

아이고..
감기에 걸려버렸다..

취앤장

아침부터 목과 코 연결부위가 이상하더니

아 뭐지
이느낌
불길한데

약 감기 초기
증상

결국 밤 9시쯤엔 눈앞의 타파스를
쳐다보지도 못하겠을 정도로 몸이 영
안 좋아졌다.

울렁거려..

슬슬열남

에고
괜찮으
세요?

패키지.. 장점도 물론 꽤 많지만
큰 단점은 뭘 여유가 너무 없다는 것이다.
아침 6시기상 -8시출발 -버스뺑뺑이

어

그래서 사진,영상 스토리에 올릴 여유도 없음

105

서울에 잘 돌아왔다. 엄마랑.

집짱~

...정말 기억에 길이길이 남을 스페인 메카 여행이었다.

오는길엔 타이레놀
해열제로 열을
떨어뜨리며
간신히 왔는데

사우디 제다공항에서는 의자에 앉았다가 누울수없게 해놓음 → 힘들어서

작은 커피숍에서 뜨거운 우유를 사마셨다.

엑스트라핫?
레귤러핫?

예,
엑스트라핫
플리즈

그리고 좀 누울 곳을 찾은게 바로...
여자 기도실 이었다.

←이런식으로
되어있음
화장실 아님.

106

그 공간은 좀 독이한데

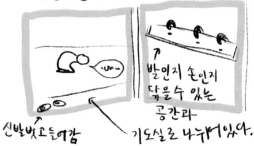

신발벗고 들어감

발인지 손인지 닦을수 있는 공간과 기도실로 나뉘어있다.

여기에 두시간동안 누워있었다 ㅋㅋㅋㅠ

곰 곰 곰

본격 이슬람
기도실에 드러누운 기독교인... 편한한 경험해봄.

정말 웃겼던건 저짝 구석에 웬 남성이
누워있었는데

이 사람도 되게 피곤했나봄

남자 기도실이 더 안쪽인데 왜 여기에 있어요!

여자들이 들어와 쫓아냈다...

빨리 나가요

뭐라뭐라 황급히 변명중ㅋㅋㅋ

비행기에서 공항까진
꽤 몸이 안좋았다가

다시 약먹고 지금은 한결났다.

여러분 결론은.. 말이조

체력이 어지간히 좋지않으면 패키지는 안 하는게 좋을것같습니다

보세요. 스페인얘긴 거의 못하고 사우디 공항 얘기만 많이 나왔잖아요

다만, 그나라의 정보, 상식이 많이 궁금하고

다른 사람들과 어울려다니는것을 선호한다?

+ 체력 좋다? = 패키지괜찮음

109

이번에 비록 체력(건강)복은 후달렸지만,
일행복이 아주 좋았다.

딱 20인이였는데 하나같이 차분하고,
부담스럽거나 이기적인 사람이 전혀 없었다..!

사진전공
이라 함 → 물론 인솔자님도 너무
좋은 분이였고, 2인의
가이드들도 좋았음.

심지어 버스기사
헤수스 아저씨 까지
유쾌상쾌.

사람덕 분에 일주일간의
빡센 여정을 행복하게 마무리한거다.

다름아닌 이게
패키지의 최고
장점일지도...

근데 앞으로
저망엄마는
패키지
안하기루.
헤헤

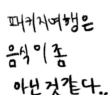

패키지여행은
음식이 좀
아닌 것같다...

빵은 계속나오네

이게
가스파초?

관광지 구경에 초점을
맞추기때문에 막대단한
맛집을 거의란기대는 ㄴㄴ.

억-
차갑네

방먹어먹음

보통의 경우 호텔조석
&저녁 과
휴게소음식점,
한식당등을 잘감.

엥 차갑다

차가워

물론 평범한 스페인
식당도 가건했다.

가스파초를 먹은뒤 먹물 빠에야를 먹은곳도
휴게소 식당이였다.

좀 낫네

→ 냉 토마토야채스프같은거

111

순식간에 우리의 입술은 검어졌다.

이거 맛있다 그치?

다행히 류쿰은 다양한 음식에 적응이 빠름 (고기빼고)

어, 엄마 입술! ㅋㅋㅋ

하학 닦아야 겠다

너두그래

?

근데 이상 한게..

엇...

나랑 엄마만 묻어있는 것이었다.

모냐.. 다들 안묻히고 깔끔히먹네

왠지 부끄럽

알고보니

112

다른사람들은 거의 입에도 안댔던것..!

엥! 꽤 맛있었는데

가스파초도 차갑다고 거의 안먹었는데 ....

일행중 그나마 가장 잘먹는 모녀

나도

대부분 일어나 상점가서 과자사 먹더라...

막상 타파스는 그냥그랬고 엄청 기억에 남는 음식이 없다..

아쉽기도 했지만 맛집여행에 딱히 관심없어서 괜찮은부류

대신 올리브유가 엄청 많아 원없이 먹을수 있고

日 강 주

오렌지맛 환타 쩡맛있음!

콸 콸

오렌지도 엄청 키운다. 탄산량이 우리나라 환타의 $1/10$정도 밖에 안들어가는데 난 그래서 좋았다... 감기기운 있을때 어어밖에 안들어감

추석 대공황이
끝났다...

그새 쌀쌀해짐

돌아온
애착수박바지

연휴 중 3일은 대체근무,
나머지 시간은 쭉 다른 외주작업을
진행했다.

매일 밤 12시
넘어 퇴근

본가는
다음주 주말에 가기로...

한마디로 매일 회사 나감

1일차   무한루트   5일차

대표님 이사님도 거의 매일 나오셨고

어찌되었건 연휴 동안 바지런히
해서 이번 작업건 들은 일단 끝내었다.

아싸
내일 하루
쉰다~!

너무 조으아으

물론.
일 하나가 끝나면
또다른 일이 찾아오는
법이고,

난 일이 없으면
만들어서 하는
스타일 이지만 ...

그래도 딱 하루라도 쉰다고 생각해서
행복하다!

영화 한편 보고 콜라랑
먹고 당최만화 그리고...
또 뭐하지?

근데
이래놓고
잠만 잘듯

오늘은 진짜...
너무 빡센
하루였다
왜냐면

오전에 회사에 딱 도착한 이후로
알러지가 시작됐다.

아아
콧물 나

...

재채기에 ...
엥
에
휴!!!!

color!

기침에 ...
난리도아님 ㅠ
컬럭 컬럭
color!

그래서
하루종일 휴지로
코막고 마스크
쓰고있었다.

하...
진짜

내 생각인데 가을 되면서 건조한 탓

\+

회사 바로 옆건물 과 아랫층 공사 분진 탓

\+

늦게 잔 탓 + 저조한 컨디션 탓

다 합쳐진 것같아

으으으!

아 너무 짜증나서 그림이 망가졌어...

맹

암튼 어떻게 일하는거도 모르게 일하고 있다가 ...

마스크 생략...

쩌는 울트라 와이드 모니터가 도착하였다.

(분위기 쇄신)

조립 후의 모습임

보조모니터?
필요없어!!!

와 감사 합니다....

쿨럭

스
스
슷

118

갑자기 이사님과 베베후배, 조감독님이
등장해 순식간에 조립을 도와주셨다.

119

오랜만에 땅유랑 저녁을 먹었다.
상곱상!

퇴사한지
두어달 된
땅유는
좋아보였다.

불안하거나
외롭지 않을까
했는데
아직 너무 좋아.
이생활이

작가의 꿈을
건지하게 키워가는
친구의 모습을 보니
기뻤다.

잘하고
있네

얼굴이
폈구만~

곧 그림책을 출간예정이고 전시도 한단다.
대단해.

강남살이 시리즈를 그려나가며
깨달았다...
이 시리즈는 정말
잔잔하다는 것을...

·····

이.. 이벤트가
없.네 당최

찬잔...   잔잔.....

최잔잔...

잔... 잔.... 바..리..

강남은 화려하기 그지업는데
내 삶은 왜이리 잔잔하담?

잔잔한게
나쁜건 아닌데

다른 웹툰이랑
동시진행
해야되나?

뭔가..승늉같어

땡크!

그래도 늘 끝맺는 연습을
해야해. 그게 내가
시리즈툰을 그리는 가장근이유니깐.

멍크!

아 잔잔한거좋지뭐~

찬찬히가자~

최잔잔 정신승리 중.

인스타를 하면서 왼손갑이로서
가장 나감한
일이오나면

고마운분들

이래저래 스크롤 내려다가
가끔씩 팔로와분들의 스토리를 나오모르게 누르는거..

터억!

ㅇ쭉―

아오
내 왼손없지
가식아

나야 보라고 만든
계정과 스토리거만은....
왠긔 사적인 공간에 느닷없이 찾아간 느낌.

오
쿨은네요

Hi

밭도장 찍습니다~

?

와 오셨어요?

뭐야

벌쯤한데
아무렇게
않은척....

감사...

자연
스러웠나?

가끔 이래도 이해 부탁..드립니다. 으흐 소심쓰

오늘.. 암것도 안하고
말았다....
원랜 내 작업도 하고
집 청소도 하는게
목표 였는데....

밥 먹고
스파이더맨보다가
잠만 퍼질러
잤어...

내 소중한
쎄러데이가..

내일은 꼭
할 일을 다
해야지

일찍
일어나자

꿋꿋이
다시 자는것을
선택..

근데 생각해보면
토요일은 쉬는게 당연
한건데, 왜이리
죄책감을 갖는거야

그거맞지....

행복한게
중요한거지

일년 감자고
푹 쉬어서
행복 했어

125

낙서가 좋은 이유는 많이다.

못 그려도 그 아무도 뭐라하지 않기때운이다.

참 재밌는건 낙서는 처음에 아무리 못그려도, 시간이 거날수록 자연스레 점점더 잘그려진 나는거다.

인생에 있어서도
낙서를 간득 해볼
필요가 있는듯 하다.

난 겁이 많아서
막상 내 인생의
흐름엔
낙서를
잘 못 해온것 같다.

그럼은 마구
그려볼줄
알면서...

물론 인생이란
종이보다야
무게가 있지만.

진짜배기 서른이 되면,
더 자유롭게
낙서하듯
살아봐야겠다.

조금만 더
진지하게
낙서하면되지
안그래?

가만정..

날 펴아
우리 꼭 천국까지
같이 가자
알았지?

미안

왜이래

그냥
미안해서 그리는 낙서.
막상 이곱들은 별 생각
없어보이거만.

미안..

귀찮어.

비친 비친

이제 진짜로 추워지려나 보다.
아까 늦게 퇴근했는데 생각보다 더 추워서
놀랐다.

집에
오자마자
당근고구마를

이쌤이 사주셨던
커다란 에어프라이어에
한가득 구웠다.
고구마의 계절이
도래했으므로.

이렇게
구독자님들을
애칭도지어야겠다

고구마들이 폭폭 익는동안
막크런 스터커용당최 네이밍
콘테스트를 진행했다.

삐빅

삐빅

어?
됐나보다.

요즘엔 150에 60도
10~20분씩 두번,
180도 10분 두번정도굽는다.

늦은시간이지만
고구마 반개정도야 ㅇㅇ

조금 먹어 보았더니

너무 달달하고
맛있어서 작은것하나를
더먹었다.

우걱!

미머!~

급박전

흠 내일 아침에
한번더 짧게
구우면 끝이다

몇개 빼곤
회사동료들 간식.

다음엔
5kg 두박스
시키자

요즘엔 이런
소소쏘한 일상이
참 좋다.
행복을 느낀다.

삶이 아늑
하달까.
그래서 더
나누어주고싶은데

내가 노나줄수있는게
별로 없어서
웃기는 캐릭터라도 그려서
올리고,

고구마라도
구워간다.

행복할까.

131

짐을 너무 늦게 싸기 시작해서
이제야 자려고
누웠다.

나름 여행을
다녀 봐서
그건가?

이젠 짐싸는게
오래 안걸린다.

어차피
안입을건
가져가거나말고

가서 내가 사용할 것과 사용하지않을것을
명확히 구분할수있다는것만으로도
큰 발전일테다.

피교없어

필요없어

피교없어

이번 항공사는
에어 아시아
라고 한다.

몰랐는데 저가항공이라
기본적으로 기내수화물만
가능하기때문에
작은캐리어+백팩+
크로스백을 챙겼다.

이 캐리어
20인치 이하
맞겠지?

그리고 드디어......
필카에
낀 필름을
집어 넣었다.

두근

처음알게된건데
필름은 수화물
검색대에 영향을
받아 좀 상할수도 있나보다.
예를 들어 빛샘현상이라든지.
(엑스레이땜시)

안깐

이 소리
좋아

*기내용은 거의
문제없다고는 함.

흠, 뭐 내가
얼마나 대단한 사진을
찍겠나~

진짜
좋겠다....

자, 이제 예의상
한시간 반 눈감고있다가
일어나면 된다.

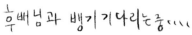

후배님과 뱅기 기다리는중ˋˋˋˋ

좋구만.

ˋˋˋ좋겠구만.

여섯시간 비행 내내 역시나 통잠 자며왔다.

와 두분
깐짜
잘 자네 :ㅇ

조감독님이랑
서로 누가 더 잘자나
경쟁 하는 수준..

후배 난양
(나고야출장때부터
룸메였음)

이제곧 도착합니더

안

으으이이어어

드디어
태국이란
말인가

눈뜨려고 안간힘

랜딩 하고 나서 유심을 갈기시작했는데

감삼당

자 여기
유심드릴게요

*유심 공구함
원래 이심 쓸 썼는데
확실히 유심이
마음이 편함.

별거도
아니지 모 ㅇㅇ.

딸깍

갑자기 그 짧은 시간안에 태국 유심이 안보이는거임

뭔가 한번 더 그려라고하면 못 그릴것같은 안체샷...

136

아 피곤하다... <태국 2일차>

그러면안돼....!
정신차리고 나가신. 집착

오늘은 (아니 어제는) 이른아침 9시부터
짜뚜짝 시장에 갔었다.

태국 느낌
물씬

후배 난양씨.
쇼핑 좋아함

규모가 정말 컸다.

섹션을 구분지어놓아서
지도만 있으면 길 잃을 일은 없음.

가이드 역할
톡톡히 해주신
FD님

제가 맛없는거
사올게요 따라와요

우와
정말요?

쫄래 쫄래

137

돼지구이 꼬치..

와 진짜 맛있음!

솜땀

너무 맛있어요!

팟타이..(고겸생략)
닭고치 ... 망고밥...

맛도 맛이지만

무엇보다도 태국 시장의 본모습을
제대로 느낄수 있어 좋았다.

시끌
시끌

수박 갈아만든
망모반...
너무 맛있음
맛있다는 말밖에
못하네...

사면 뭐 얼마나
사겠나~~~

안목있는 JB님 추천으로
장만한 장바구니용 가방

는 무슨.

히어어억
이거너무 바보같애
*힘찬임

사야겠어

그 생각이 무색하게
장바구니는 금방 채워지게 된
다.

아씨...너무
저렴하시까
안살수가없네

뭘 샀냐면

코끼리인형끼리 키스

바보 누무코끼리

아돔 (고행똥깨 해주는거)

코끼릭바지 (도대체 왜사냐 했는데 살수밖에 없다.)

또 뭐샀더라?...

에! 에!

완전 우리 엄마께!

겁내 넓은 챙의 모자가 나풀나풀 걸려있는것이었다.

디스원!

오오

큰카

저걸 사는 사람도 있네

엄마가좋아하는가
이이없어하는가
싫엊기만,
난 259바트를
건네고야말았다.
이거딱하나
있었음.

절대
타건않겠어!

과장이긴하나
어깨이상내려옴.

나고야 오스 상점가 완
또 다른느낌이네.

그다음엔 팀원들과
함께 모여 오늘의 주목적인
행사장 에는 갔지.

거기에 우리 작품이 전시되어 있기 때문인데,
올해 새로 찍은 세 드라마영화를 두작품!

등신대

마이끌
시즌2

으헤헤

행사장애건넘어간래...

+쯔찍.
나중에 홍보한번 하게요.

너무 귀여..

대평 이사님이 또 맛있는 저녁을 사주셨고
우린 오늘의 여정을 마사지로 마무리하기로했다.

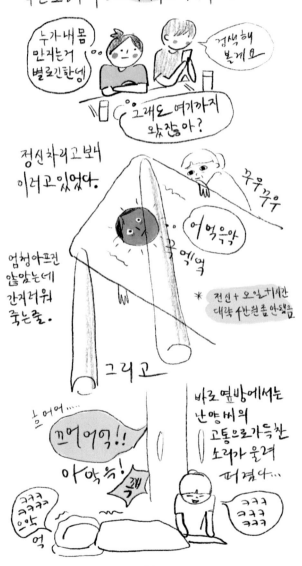

누가 내 몸 만지는거 별로긴 한데

검색해 볼게요

그래도 여기까지 왔잖아?

정신차리고보니
이러고있었다.

우우우우

어억으악

엄청아픈건
암암는데
간지러워
죽는줄.

어억 어억

＊전신＋오일＋시간
대략 4만원 좀 안됐음

그리고

노어어.....
끄어어억!!
아악윽!
짝

바로 옆방에서는
난양씨의
고통으로가득찬
소리가 울려
퍼졌다...

ㅋㅋㅋ
ㅋㅋㅋㅋ
으악
억

ㅋㅋㅋ
ㅋㅋㅋ
ㅋㅋㅋ

오늘은 후배 난양씨를 가이드로 앞세워
따라다녔다.

우린 코끼리바지를 입고다녔다.
한여름 날씨에 너무나 딱인 바지다.

잠시 들른 공원에는 엄청큰
노마뱀들이 평화롭게
돌아다니고 있었다.

음, 태국 시민들은 기본적으로 무심한듯 친절한것같다.
일반화의 오류일까?

그 순간 길 지나가던 세명정도가 나를 지켜봤고
그중 경찰이 도와주라고 했는지 시민 아저씨가
컵을 달라고하내 분리수거를 다 해주시는것이었다.

144

로컬 골목(골목이름 뭐더라...)에서 나와
강을 건너려고 배 탈때부터 내릴때까지
도와준 여학생 까지...

난양씨와 나고야 출장에 이어 또 재미진 경험 많이했다...

드디어 아연시암 도착!

사람들이 우리에게 친절한건 이 코끼리 바지덕인것 같기도 해요

누가봐도 여행객!

도와줄수밖에 없는 비주얼!

* 현지인 아무도 이 바지 안입어라ㅋㅋ

물은 겨우 5분거리를 300밧(약 만원넘음)이라고 바가지요금부르는 툭툭 아재는 제외하고...

아툭툭 타보고싶은데

투헌드레드!

헌드레드?

흥.

안돼안돼

그리고 우린 다시 그랩에서 택시를 잡아 82바트에 돌아올수 있었다!

진짜주알찬 하루였다 ㅋㅋㅋ

146

결국 우린 툭툭을 탔다.

평화롭게 느릿느릿 할줄 알았는데

너무 재미있었다.

태국에서도 지하철을 타봤다.

덜컹

넘 졸려서 사뭇
꾸겨지게 그럴게요...

덜컹

그 행사장 가는
길에 말이다.

귀엽다...

그들의 지하철토큰은 참으로
귀엽더라.

simple

까만 바둑돌을 납작하게
펴 누른 형상이다.

각설,
사람이 많아 서서 가고 있었는데,
바로 앞 좌석에 앉아있던 아주머니와
남성이 슬슬 자리서 일어나는것이었다.

앗

둘이 아는 사인지 모르는 사인진 모르나
왠지 아주머니가 일어나자고 하는 듯했다.

두 승려분께 자리를 양보한 것이었던 거다.

아니!

정신적, 종교적 지도자에 대한 예우인 듯

앉으세요

민망...

여기서 문화와 종교의 차이를 느낌.

모... 몰랐어요

허나 그들은

괜찮소

마음만 받겠소

정중히 거절했고

도로 아주머니와 남자분이 앉았다.

뻘쭘

아하

방콕 지하철 썰 끝!

150

태국여행을 기점으로 나는 쇼킹한데 또 딱히 쇼킹하지 않은 사실을 말았다.

사실 대충 예상은 했지만

회사분들이 인스타에서

아..!

이제 다들 내가 만화 그리는 거를 안다는 사실을.

애꿎은 코코넛워터만 쭉쭉 빨았다. (식은땀 줄줄)

짭

짭

추천에 다떠요..

팔로 할게요

원데 나도 알려줘요

당·최· 라고 검색해봐

난 ~ 아무렇지 아나!

아니 뭐~ 인스타에서 만화끼적이는게 그리 대수겠는가~ 싶으면서도

그간의 내 뻘소리도, 바보같은 썰도 다 봤을거란 생각을 하면... 민망해질 수밖에 없다...

아냐 아무래....

151

그러나 나는 내 삶을 있는 그대로,
혹은 나만의 시각과 해석으로 그림그리고
이야기 쓰는게 조으므로, 앞으로도 똑같을것이다.

ㅇㅇ 그리고
내가그리는
자기자신을
보는 그들의 반응
을 보는(?..)것도
좋고.

...이게 곁말이람?

최대한
내 이야기위주로
그리긴 하지만.

내겐 모든 사람들이
영감의 원석이라,
주변인들을 안그릴래야
안 그릴수가 없기에,

당최 세계관에 진입한 이들에겐
일종의 당최식 가명을 부여하고있다.

어떤 이들은
이름에서 심플하게 따오기도
하고,

이름짓기에
진심인 편.
생각보다 시간
많이 듬.

어떤이들은 성격이나 특징을,
어떤이들은 떠오르는 이미지의 약자를....

152

웬만하면 앞쪽 한글자는 누구인지
유추가 안되오록 완전히
생뚱맞은 음절을 쓰는편,

하지만 실존하는 사람임을 표현
할수 있오록 성은 꼭 붙여준다.

당   최

당최 세계관 속
복합적 외미를 담은
호(?)

실제 세상을
살아가는 인물의 성씨.

대박 쓸데없죠.
하지만 전 재밋그든요.

그나저나
저에 지인들이여 걱정하지 마십시오
저는 당신들의   아름답고 개씨있고
        귀여운   이야기만

이제는
허각 받아야될거같음..

                                그립니다.

However, 그럼에도 내 캐릭 그리는거 싫다!
하는 분들은 디엠주세요. 그럼 절대 안 그립니다.

I AM 신뢰예요.

그리라던 만화는 안그리고

지인들 가명의 뜻을 조금 공개하고
싶어진 당최... (분명 만들안궁
언데 설명하고픔)

예시1

〈대표님 통리〉

이미 입사할때부터 낙서만화 그려올리는 거 아셨음

나 통통 하다고 그렇게 거은거?

아뇨?

단

오!

아닙니다.

'통' = 부산사투리로 '짱'이라는 뜻.
대표님을 지칭함.

= 또 다른뜻. '통이크다'
실제로 통이 크심.

예시2

〈내가 만화그리는거 다 아는 후배님들〉

배버후배
= 조그마 하고 애기같이 구여움

싱킴후배
= 싱그러운 이미지 & 싱아

난앙후배
= 따뜻해서 따뜻할 '난' & 난 사람

뜻 죽이죠. 이게 바로?
당최식 닉네임!

154

평온한 밤에
낙서하고 있노라면
참 행복하다.

근데 빨리
자야된다.

......

망했다
두시 넘었어

쫍

내일 정말
오랜만에
교회에 가려고
하기때문임.

먼듯이
그리스찬을 넘어섰다

아아 너무
힘든데
어떡해.

가는데만
두시간이 걸려서
출근할때보다
훨씬빨리 깨야한다..

·과연 나는 교회에 ·
·갈수 ·
·있을것인가?!

눈이 팍하구
떠지게 해주세요

155

겨울이 오니까 확실히
옷들이 두꺼워서
잠깐 사이 금방 쌓인다.

······

몇번 갈아
입었을 뿐인데

에휴
집이 좁아서
문제야

걸어놓을
자리도 없다고

그냥 이렇게 겨울지내면
안될까 보일러 틀면
옷이 여푼해져서
좋지않을까

나를 설득중...

158

대여섯시쯤
나와 집 주변
카페에서

한참
책을 읽었다.

여행 책
(리뷰예정)

에그마요
샌드위치랑

바닐라라떼 한 잔
마셨다.

재미있게
책읽다가

아 웃겨ㅋㅋ

이게 MZ
구나 싫었
다니까?

그림은 같이
그려보자

나
가... 길 못그려
밥안이...

조금 지치면
잠깐 주변 사람들
소리에 나도모르게
귀 기울이다가

내가 좋아하는
OST를 들으며
다시 책에
집중했다.

음~
즐거워라!

이제 슬슬
나가서 한참
걷다 들어가야지.

내의 자리는 구석진 부장님 자리라는 점에서 정말 배게 딱 맞았지만, 유일한 단점이 하나있음노네

....

1프로 부족해

바로 '빛'이 부족하다는것.

휘청스

일룩 얼룩

밝기랑 색감이.... 이게맞나

내 자리에 까까이있는 젠라는

딱 이거 하나.

물론 등 뒤에 거대 창이 있긴한데 이건 오히려 화면을 안보이게 함 ...

그래서 늘 블라인드로 가려놓는데...

컴
컴

창문이
소음이
음넹

그 어두움을
퇴치하고자 이번에 회사 대청소를
하는동안 픽사 축소주니어를
삐닮은 조명을 겟하었지.

와자봉

짜식

어딘가에
짱박혀있던
녀석.

책상
고정형

언니의 결혼식을 잘 마치고
홀로 카페에 와서 작업을 시작했다.

언니는 오롯이 가족만 참석하는 결혼식을
선택 했는데,

목사와 성도가 직접 흙을 쌓아 지은 교회 예배당에서
예식을 올렸다.
그곳은 정말 아름다웠다.

뷰티풀
원더풀 ...

당최 얼른와

날씨는 꽤 추웠으나 잘못느낄 정도로
이번저번 따뜻하고 웃기고 재밌는 이야기들이
많아서 피드용 만화(?)로 그리고 싶긴한데

안 그래도
그렇게 많아
고민중...

...

조만간 그려올걸게 나
정리되면 그려 봐야지...

아무튼 중요한건ᆫ

언니가 결혼해서 참 좋다.

태판과 얌희가

행복하기를.

언니와 태판을 찍는 아빠와 그걸 찍는 엄마와
그걸 찍는 사진기사와 그걸 찍는 나.
(제일 재밌었던 순간중 하나)

오랜만에 날펄이랑 며칠 같이 지내는 중

전기방석 들어있음

여ㄴ전히 웃기는 애들이다

날날아재
펄펄애기

이 자쉭은
그냥 존재자체가
웃기구 ㅋㅋㅋ

애는 너무 너무 앙큼하고
사랑스러운데 은근 웃기는 애다.

겨울됐다고
무릎에 쏠랑 앉아
몸을 동골게 말고있다.

어휴어휴
귀여워

둥
글글
미성의 뒷통수

이그

애는 밑보물 간식 달라고
벌떡 일어서서 아빠의 앞섬을
붙잡는다.

웃기는 녀석!

엄빠와 순대를 먹으러 갔다.
내가 쏨.

대전 순대는 꽤나 맛있는 편인데,
특히 이집은 비린내라곤 일절
나거않는 진짜 맛있는 집이다.

가게서 직접
만듦..

중짜 시킴.

먹어도 먹어도 안질리는 순대는 여기가
거의 유일....

대전이 순대가
발달한 이유가
있어

625때 이북사람
들이 넘어오면서
대전에 많이
정착을 했거든

중앙시장도 그사람들이
시작했다고 볼수 있는데,
거기서 순대장사를 한거야

순대가 원래
북한음식인거
알지?

보니까 밤한에썬 내장을 다 버리더라는거야~
이 아까운걸 왜버리나면서 갖다가 요리를 한거지.

순대장사 하면서
돈을 엄청 벌었고,
오히려 그 다음
서울로 진출한게
순대야

음~

그래서
서울이 순대가 잘 발달이 안돼있어.

아!

웅. 그건 맞는것같아.
서울엔거의 찰순대만 팔고
국밥도 별로 맛이없드라~

탐슬
탐슬

얌냠냠

대전올때 가끔씩   이런 맛집에서
포식하고 가면 떡 만족스럽다.

야무지게
순대전골에 밥까지 볶아먹급~~

170

냠냠냠

읍! 역시 맛있구만!

역시 싱킴씨!

읍읍읍

크흠 싱킴씨 요즘 작업은 어때요?

선배로서 카리스마임께

...

눈 무슨 왜이러 뭐가 흘러버리는거.....

이잉

...

호도도...

흘러새어는 카리스마.

괜찮아요 매니저님.

저도 여기선 잘 흘립니다.

뭐야

그말이 무색하게... 너무나도 깨끗...☆

하나도 안흘리고 있잖아요

성워는 정말 내겐 고난이도라니까...

왕

실력이 안되니까 빨리 먹어치워 버리겠어요

하하하

요즘들어 나스스로에 대해 미처 생각거못했던
평을 종종 들었다.

언니결혼식 땜에 메이크업을 받았을때,

동생분은 자존감이 높은것 같아요

제제가요?

?

저그냥… 별생각없이 살아서…

어리둥절

그~게 자존감이 높은거예요~

류킴은,

움마 내가 자존감이높대

진짜일까?

응 그런거같아

오늘 땅유와 대화할때,

내가 인프피 콜렉터거든?
근데 니가 젤 강단있긴해

그럴단 말야?

어.

보통 인프피들
거절하는것도 힘들어해서
엄청 돌려말하는데,
넌 아니면 아니다
그러면 그렇다
정확하게 말해줘서 좋더라.

그리고 너가
눈치도 잘안보는듯

어어 맞아
나도 그래 느꼈어
내가 생각보다
눈치를 안본단걸

눈치가 없단건아님...

흐음.. 모두
좋은 평인것같다.

뭐 당연히
기분좋은데

178

그래도 내가
험한 세상을
살아가기에

그렇게 나약하진
않겠구나..
하는 안도감이
좀더 들었다.

함구증이
심했던
꼬마 낭희가

성장을 하긴했구나.

그간은 나의
부족한 점에
집중을 많이
했는데...

좋은 점도 돌아볼
필요가 있겠어.

살아간다는거
꽤 재미있군.

오늘 정말 너무
추운 날씨였는데,
친구 미박이 오랜만에 만나자고해서 집을
나섰다.

우심한 내가 거의
유일하게 3분간격으로
잔소리하는 인물이다.
이유는 상당히 많으나
다 그럴수가없음..

확신의
ENFP
알고거낸지 10년.

내 40프로정도의 알량한 T력이 얘랑만나면
99퍼로 치 솟는다.

일을 보고

카페에 와서

간지나게 아이패드프로를 꺼내어 작업을 시작하였다.

....졸았다.

이거 그리면서 잠깸 ㅎㅎ

185

태판은 다양한 인도음식을 준비하고있다.

빨갛고
예쁜 인도브랜드
호킨스압력솥도 사서
말이다.

우왕

짜잔
이거진짜
좋아

맞다. 태판은 인도 사랑이다.

언니가 유부녀가 됐다는건 뭔가 신기한데
태판이 형부가되어 옆에있는게 희한
하게도 아무렇지가 않다.

스코틀랜드
아이스크림
먹을래?

네네

↑
액키즈

덴마크쿠키
먹을래?

네네

내가안든 다르르르
한번 시식해볼래?

→ 인도요리

ㅅㅅㅅ

네네

으음.

국제 결혼 하니까
확실히 음식이글로벌하다

ㅇㅇㅇ

브런치먹고 카페가서 와플먹은뒤 또 죽은듯이
잠 자다가

미친 잠 자는 중....

누가 안깨우면
절대 안일어남
네버네버

어느새
저녁이되어

당최.
저녁 불고기덮밥
먹어

응응

또 밥을 먹기위해 일어났다.

먹고자고
먹고자고의
연속이군

당최야
이거먹어
봐

망고 피클이야

오와
망고피클?

엄청시니까 조금씩
먹어

와!
맛있엉묘

내일 파티 I can't wait!

하하하
하

딜리셔스 딜리셔스

188

크리스마스 가족파티가 시작됐다.

어 엄빠왔당

철컥

큐립과 ㅁ 희가

교회 칸타타를 마치고 왔다.

딸~

산타가된 태판

왔더니!

아버지 어머늬!

태판은 준비한 인도음식을 선보였다.

이건 날르이예요

오

칙피 - 병아리콩이 주재료인 커리
약간 매운 칠리파우더
가 추가됨.

달 - 렌틸콩을
222
폭폭 끓여
녹인 커리
망고피클   매우 부드러움

★ 머튼커리
- 양고기커리
비린내 하나도없고
완전 맛있다...

바삭바삭
과자

찍어서 싸먹는
파라타..넘 맛있어

인도의 길다란 바스마티쌀!

사모사 - 만두같은거

※ 커리는 인도에선 그냥
국 이라고함. 평소 간단하게 국과 밥 먹듯이
먹는다고 한다.

역시 커리의 나라
인도..

냠
ㅇㅇㅇ

태판 요리 정말
잘한다!

하.히.하

진_짜 배부르게 먹었다...

190

우린 태판의
부모님과 인사했고

인도에 언제쯤 가면 좋을지도 이야기했다.

191

우리의 식사는 6시까지
계속되어야 했다.

디저트 타임입니다

차가운 아이스크림에
뜨뜻한 굴랍자문
을 넣은 디저트와

굴랍자문
이란?

인도 국민
디저트

설탕에 절인 도넛

딸기 타르트

너무 많어서
다 못 먹음

맥주..

엄최가 만든
뱅쇼..

언제 나 먹어

틈최가 사온 와인....

그리고 언니와 나의
야심작 샤인머스켓 &
틈에이러 트리까지..

192

열심히 사진 찍고〰️

선물교환
하고〰️

그리구 류킵은 피곤해서 자구
나머진 인도영화 화이트타이거를
보았다.

잘 만들
었다.

ㅇㅇ

메리 크리스마스!

날펄은 여전히 귀엽다.
이제 열살 다돼가는데,

펄은
동글동글

털도 보슬보슬하다.
여전히.

능능

낭은 아빠 바라기.
간식주는 사람이다
이거지.

냥야

어쩔어쩔

그간식 다~
내가 사는거야
이자식아...

그래. 몰라도 된다. 그런거.
그냥 잘먹고 잘자고
잘싸고 건강만해라.

낭낭 손은

귀여운 시계능능

하얗다.

살살

거거
시러

와 따따딱

아오

버르장머리
여전하다.

날이 멱살잡이하는 찐친같다면 펄은 내새끼다.

껍은어쩌나 만들은지ㅡ 조금만 낯선소리가 나면 순식간에 사라져지만

그 소리의 주체가 나인걸 알자마자 후다닥 나온다.

안기는거 싫어하는데 내가 안으면 꽤 오랫동안 허용해준다.

믿긴거만느껴지만 난펄닦어서할때 거의 유일하게 눈물 흐름 졸졸ㅡ

요즘 싱킴씨를 많이 그리는 이유가 있다.

아 전 다 좋습니다

오마카세고?

질척거리며 점심같이 먹자고 계속 꼬셨다

왜냐면 싱킴씨가 곧 떠나기 대문이다. 좋은 추억이 남았으면 해서 조금이라도 더 그림.

이이이이이영

원래가려했던 스시집이 문닫음

대충격

가장 말이 없고 조용한 싱킴씨는 놀랍게도 회사동료중 당회툰 최다 출연자다. 어쩌다보니...

우리 다른데가요 미안해요

엉엉

아니에요 매니저님!

전 다 조아요..

ISTP라는 싱컴씨는

196

느릿느릿한게 닮았다.

싱킴씬 음식 뭐 좋아해요

음전.. 채소와 빵과..

울 회사서 둘이 제일 세월아네월아 걷는다....

구황작물... 을 좋아하는것도.

저도! 구황작물 좋아해용

강력 어필

아니네네 옹옹옹 부담...

남이사 관심없는 마눼기질도 닮았다.

두시 다돼쎔 먹네

쩝..

그러게요

＊간신히 들어온 다른 스시집

싱킴 씨는 앞으로 뭐하고싶어요

198

200

홀로 고독히 23년의
마지막을 보내겠다는
생각을 조금
뒤로하고 아침
일찍 일어나
교회를 갔다.

그래도
마지막 날인데

교회는 이제 ...가면 거의 '당회'로 불렸다...

불명앟고

어?
당회선생이다

아하하하하...
안녕하세요...
크흡
전강

당회작가님?
팬이에요

또기

이젠 나를
사회생활을
잘한다고
생각하는데
교회는 여전히
어색하다..

아.. 아무튼간에 난
이제 삼십쌀으로.
더이상 쭈글이
찐따같이 있지
말겠어!

아, 오늘 처음
오셨어요?

아 네네

전 한3개월에
한번 와요ㅎ

점심 먹을 땐
나 좀 먼저
인사말도
건네 보았다

아 혹시 나이가...

저 구사년생요 삼십살요...!

헉! 전혀 그렇게안보여요

아! 그렇게 말씀해 주시니 감사합니다 ^^ 그쪽도 마찬가지 입니.....아아ㅂ

쓰으응응응

그..그쪽? 이상한데

이..이름을 몰라서요. 이름이 무엇인가요..?

→ 이래놓고 내이름은 안알려줌 ㅋㅎ.....

사회적 끌어 몰리는중

어쨌든.. 제법...어른답게 교회 동생들과 이야길 나누었고..

어른스럽고 자연스럽게 나와 다시 강남으로 향했다.

나... 왜 나 외향적이 지 않나 어정도면?

흥

음유

왜냐하면 미박의 약속 제안을 거절 했는데 그 거절을 거절.. 당했거든 ...

202

일단 교보문고가서
조그마한 소설책
몇권사고

모비딕..
 이방인..
  야간비행...

지하철타고다닐때
읽어야지

당최!

왔어?

미박 만나고

같이 노량 보고 그랬다.

불을 꼭 거래
강군이 쳐야
하는건가

걱양히 치고
부하한테 넘기거

비록 노량은 뭐 쏘쏘했지만,
 나는 평온하고 자연스럽게 두번 산 29세를
마무리지었다.

아 드디어...!

(진 서른 되는거
 기대해봄..)

어서오라
서른이여!

부모님이 아침 일찍 온다고
하여 집청소를 하다가
너무 늦게 잠들고 말았다.

자? 00

삐걱~

ㄹㄹㄹ

왜어멍?

응 당최~
신경쓰지말고자

배안고파?
집 안추워?

날렵

웅ㆍ

쥬킴 뜸최도 함께
눈을 붙였다.

좁은집이지만 부모님이 서울에 오셨을때
함께 있을수 있는 공간이 있다는게 좋다.

세상에

우리 냥최
아름다운것좀
보세요.

내사랑

?

…? 갑자기?

쥬킴의 팔불출 사랑도
받아서 좋다…

ㅋㅋㅋㅋ

절로 동의 않는 뜸최…

사랑받는
나란존재

? ㅋㅋㅋㅋ

나의 옛 후배들
만나러
신나는 으로

앵킴과 삵리를
칼퇴후 쏜살같이
갔다.

나를 보고싶어하는
후배들이있단건
축복이야

그들은 먼저 교자집에
앉아있었고
난 소중한 그모습을
찍었다.

철커
ㄱ!

삵리

앵킴

*둘이 친구임

와 진짜
오래만이야

이제는 사실
후배라기보단
친한 동생들이 맞을거다.

생각보다 꼰대인 당회선배는 후배들이 퇴사하자마자 기다렸다는듯 말을 놓았다....

이사오기 전 사무실에서부터 삼년을 일했었다.

거기서 1년정도
아기고양이 홍홍이도
함께 키웠지.

→나

스트릿출신 삼색냥

앵킴이
데려가서
키우는 중

그당시 사수의 역할이란게 뭔지 제대로
몰랐던 내게 이들은 의지되는 동료,
전우같은 존재들이었던것같다.

좝 쫍

너흰 정말이지
나보다 나은애들
이었어

에에에~

진짜ㅡ

갑자..!

찍어야돼!

어허ㅡ
어차피이거
초점다 나가게
찍혀~

갹!

매니..!
아니 선비...
아니 어언니

암튼 자주보고싶은 동생들!

208

스토리 낙서 일기를
좀 그럴라 쇠면‥‥

누워있는‥ 나를
너무 많이‥‥
그러게된다‥‥‥

하‥‥

내 이미지는
'침대인간'
일거
같애

쟁장‥ 내가
이럴거만한
사람은 아닌데
‥‥‥

하지만 이거는
내겐 아주 중요한
스케쥴·

능능

일명 극단적인
고요속 이불에
파묻혀
즐기는 고독한
공상과
낙서의 시간.

풍충하카

209

목사님 싸모님 집에
초대를 받아
송도에 왔다.

일단 교회로
가는중

비가 좀오네

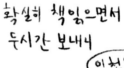

야간비행
읽는중..

털컹
털컹

확실히 책읽으면서
두시간 보내니

인천대
입구역
입니다

!

시간이 빨리 갔다.

어.어.

당회!

싸모님 완전은
임신한지 벌써
6개월이 다됐다!
대박이지

210

알고지낸지 벌써 10년된 친구가 아이를
가졌다는게 정말 신기해. 언제나 어린애들
같았는데...

나 배가
꽤나 왔어!

헤헤

와 진짜네?
나 너가 임신했
다는것도 망각하고
있었어.

그치! 사실
나도 자꾸 잊는다?

어 당회쌤
그옷이 그옷이냐?

아.

코러
목사님

이번에 새로
장만 하였습니다

당회컨셉에 잠식된 자...

들고온 미놀타로 교인들을 한참 찍었고

저게 그
당회만화에
나온 유명한
카메라 아냐

철컥쓰

아ㅋㅋㅋㅋ

당회언니
4오겍어로

목사님 늦둥동생

그래!

히히

소곤

저녁을 먹고나서는
목사님 집에서 며칠 머무는 중인 교회동생 차를
탔다.

되게 시크하고
엉뚱한 친구.
하루 방값이쓸 예정.

그래요?

와 운전 잘 한다
멋진걸

난 면허도 없어

아 진짜요?
근데 서울 살면 뭐
운전 할일이 없잖아요

응.그러다보니
계속 면허를
안따게 되어따

음

아무래도
그렇죠

어떤이는
엄마가 되고...

어떤이는
자동차를 몰며
지역과 지역을 다니고

(후진중)

보로롱

다들 각자의 방식대로 자연스레 어른이 되고있다.

엥.근데
나 내릴수
있을까?...

어, 못내려요?

완벽하진 않아도, 이건 제법 멋진 현상이다.

212

여긴 네팔서 온 분이 일한다.
저번에 류킴이 물어봐서 알게 된 국적.

성실 성실

뼈해장국 하나 주십시오

이것으로 주문하십시오^^

아!

큭 머쓱 ㅎㅎ

그새 가격도 만원으로 올랐고 (그래도 싼거임..)

주문도 키오스크 방식으로 바뀌었다...

날이 너무 추워서 그런지 조금 한산했다.

웅성 웅성

원랜 술취해서 시끄러운 사람들 되게 많은디

이 해장국집은 소개해주는 사람들은 누구나
맘에 들어하는 집이다.

맛있당 ᐧ ᐧ ᐧ

여행기 막편에 나온곳맞음

1,2년 사이
양이 좀 줄긴
했지만

그럼에도 여전히 많은 편이다.

아마 이곳은
강남을
뜨기전까진
콩콩
올것같다.

내가
천천히
먹은건가?ᐧᐧ

앞자리 손님 3명
바뀌는동안
먹었다.

호록

!

드르륵

계산이요

거마다
속도는 다른거니깐ᐧᐧᐧ

고단한 하루를
따끈하게 풀어내는
쉬운방법:국밥먹기

215

베배씨와 꽤 늦게까지 드라마 수정본을
리뷰했다. (둘이 영상의 메인임)

컨펌

최종
수정
압당

이왕 늦은거
즐기기로하고
핏자도 먹었다.

음뇸

(1인용피자)

(누구보다도 긴장)

제발 수정할
부분이 더이상
없기를

제발요...

영상 마무리는
정말 쉽지않다...
최종-진짜최종- 찐최종- FIN-수정-02.MOV
이렇게 됨...

요즘엔 카페를 잘 활용
하여 작업하고 있다.

석석

세상은 잘
돌아가고있나?

스윽

물론 자꾸 딴짓도
하게되지만

결론적으로 효율은 꽤 괜찮음

집에선 폰 보면서
누워있다가
잠만잔다...

집중하라고
이놈아

문득 좋은 시대를
살아가고있다는
생각이 들었다.

아이패드도
그렇고
카페란
공간도
그렇고

218

220

꽈당땅

숏

꾸준히 무언갈 하는건
굉장한 힘이
있다.

그러나 꾸준함 이전에
그냥 막 시작해보는것은
더 큰힘이 있다.

더불어 크고작은
다양한 실패경험은
최고의 스펙이다.

그냥 요즘 많이 드는
생각이다.

당최의 일거수일투족 낙서일기

발 행 | 2024년 1월 29일
저 자 | 당최
펴낸이 | 한건희
펴낸곳 | 주식회사 부크크
출판사등록 | 2014.07.15(제2014-16호)
주 소 | 서울특별시 금천구 가산디지털1로 119 SK트윈타워 A동 305호
전 화 | 1670-8316
이메일 | info@bookk.co.kr

ISBN | 979-11-410-6938-4